다섯 시간 전, 갈매기 떼가 낮게 날아갔어.
세 시간 전, 유리병 하나가 해안으로 밀려왔지.
한 시간 전, 어떤 사람이 사라져 버렸어.

나와 별만 남았어.
그리고 누군가 나직하게 흐느꼈어.

펴낸날 초판 1쇄 2023년 3월 25일 | 초판 2쇄 2023년 6월 30일 | **글·그림** 지미 리아오 | **옮김** 문현선
펴낸이 서명지 | **개발책임** 조재은 | **기획·편집** 홍연숙, 한재준 | **디자인** 김나정
마케팅책임 이경준 | **제작책임** 이현애
펴낸곳 ㈜키즈스콜레 | **출판신고** 제2022-000036호
주소 서울특별시 서초구 방배천로 91 9층
주문 전화 02)829-1825 | **주문 팩스** 070)4170-4318 | **내용 문의** 070)8209-6140

ISBN 979-11-6994-022-1
• 잘못 만들어진 책은 구입한 곳에서 바꾸어 드립니다.
• 오늘책은 ㈜키즈스콜레의 단행본 브랜드입니다.

글·그림 지미 리아오 | 옮김 문현선

별은 깊은 밤의 눈동자

마침 바람에 벚꽃이 흩날려서 모두 웃음을 지었어.

다들 눈을 감았지만 하나같이 이 사진을 좋아했지.

나중에 우리는 환하게 웃었지만 전부 모이지는 못했어.

지각한 사람도 있고 조퇴한 사람, 일이 생긴 사람, 병이 난 사람도 있었거든.

더 나중에 우리는 억지로 웃었고 울고 싶을 때까지 있었어.

출석한 사람보다 결석한 사람이 더 많았지.

나중에는 나중 자체가 없어졌어.

다 같이 어른이 되기로 하지 않았나?

즐거운 어린 시절을 함께 보내자고 하지 않았나?

이렇게 힘든 세상을 어떻게 버티라고.

이렇게 무정한 나날을 어떻게 마주하라고.

인생은 원래 그렇다고, 어쩔 수 없는 거라고 했었나.

슬픈 일은 왜 일어나는 걸까?

이사 가면서 전학 갔다고 생각하자.

외국 여행을 떠났다고 여기자.

미술 시간에 네가 만든 곰 인형은
아직도 내 베개 옆에 누워 있어.
게임 기록을 깰 때마다
나는 곰 인형한테 뽀뽀해.

내가 선물한 토끼 인형은 잘 있니?
아직 네 곁에 있다면
내 마음이 조금 따뜻해질 텐데…….

강아지는 정말 귀여워.
나를 볼 때마다 와락 달려들어 마구 핥거든.

강아지 눈을 똑바로 볼 수가 없어.
천진하고 애틋해서 견디기 힘들어.

무슨 일이 있었는지 녀석한테 알려 줄 수 없어서
그냥 꽉 끌어안고 나도 네가 많이 보고 싶다고만 말해.

네 자전거를 찾았어.
바퀴 바람이 다 빠지고 녹이 슬었을 뿐
나머지는 멀쩡하더라.

자전거를 너희 집으로 끌고 갔더니
너희 엄마가 고맙다며 우셨어.
나도 따라 눈물이 났고.

너희 엄마가 나를 꼭 안아 주셨어.

그 만루 홈런 기억나?
공이 풀밭으로 날아가서 못 찾았잖아.
누가 주워다 몰래 숨긴 게 틀림없어.

야구 글러브는 오랫동안 종이 상자에 넣어 두었더니
곰팡이가 슬고 냄새가 지독해.
너희가 없으니 나도 더는 야구를 하고 싶지 않더라.

요즘 고양이가 툭하면 창밖을 가만히 쳐다보는데
창밖에는 아무것도 없어.
고양이가 뭔가를 봤을까?

나도 따라서 고개를 들어 창밖을 가만히 쳐다봤어.
머릿속이 텅 비고 아무 생각도 나지 않더라.

작년 겨울, 네가 우리 집에 두고 간 목도리는
아직도 내 옷장 속에 있어.

그날 날씨가 갑자기 더워져서
추워지면 돌려주려 했는데…….

올해 나는 네 목도리를 두르고
긴 겨울을 보내려 해.
봄이 올 때까지.

모자가 바람에 날려서 강에 떨어졌을 때
우리는 강둑을 따라 종종거리며 달려갔지.
하지만 모자가 점점 멀어지는 걸
조용히 지켜볼 수밖에 없었어.
그날 오후 속상했던 게 아직도 생생하게 기억나.

그때는 좋아하는 모자를 잃어버린 게
제일 슬픈 일인 줄 알았어.

나는 혼자 어두운 숲을 지나갈 능력도 없고
아무도 간 적 없는 산길로 들어설 용기도 없어.

나는 모두의 뒤를 따라가며 시키는 대로 하는 게 좋아.

나약한 나만 남았어, 나는 어디로 가야 하지?

네가 선물해 준 스케이트를 신을 수 없었어.
지난번에 사촌 동생이 빌려 가서 돌려주지 않았거든.

어제 가서 스케이트를 돌려 달라고 했어.

엄마가 나한테 쩨쩨하다고 하시더라.
맞아, 난 쩨쩨해. 영원히 쩨쩨할 거야.

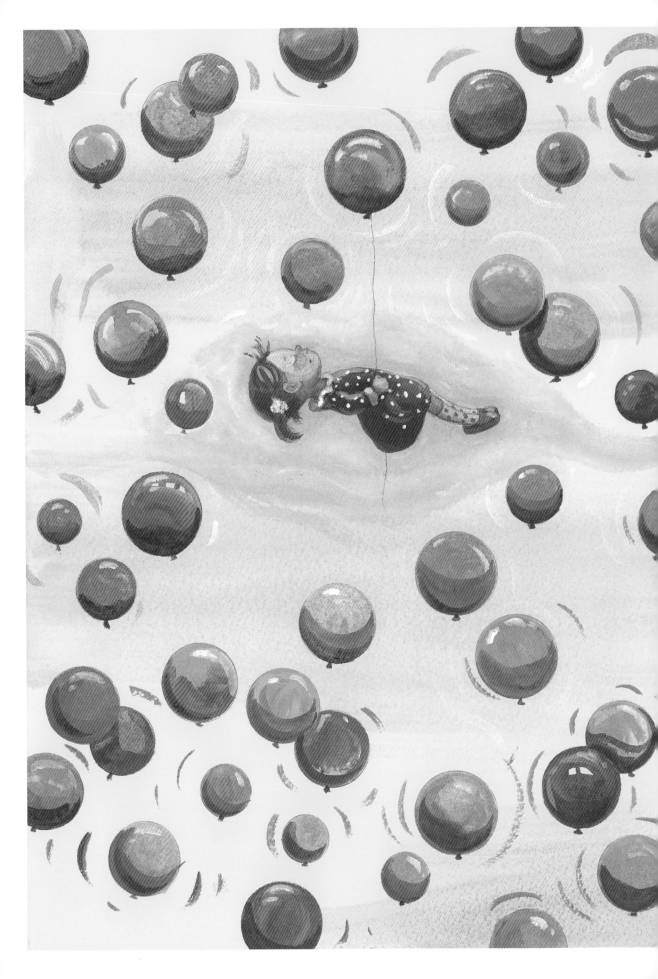

우리 예전에 하늘로 날아가는 풍선을 보면서
같이 날아가고 싶다고 말했잖아.

하늘로 날아간 풍선은 결국 어디로 갔을까?

이제 나는 하늘로 날아가는 풍선을 좋아하지 않아.
알 수 없는 건 싫어.

그때 우리가 왜 싸웠는지 잊어버렸어.
잇몸에서 피가 멈추지 않고 눈이 시퍼렇게 부을 정도였는데…….

나중에 같이 보건실에 가서 약을 발랐잖아.
나중에 같이 교장실에 가서 혼났고.
또 나중에는 서로에게 사과하고 안아 주라는 말을 들었지.

우리가 다시 싸운다면
난 양보할 거야. 너한테 몇 대 더 맞아도 괜찮아.

우리가 함께 돌보던 그 화분
네가 떠난 뒤 혼자 꽃을 활짝 피웠어.

무척 예뻤지만 바람이 불자 우수수 떨어지더라.
꽃잎 몇 장을 주워서 책갈피에 끼워 두었어.

어느 날 무심히 책장을 넘기다가
즐거웠던 추억을 많이 떠올리고 싶었거든.

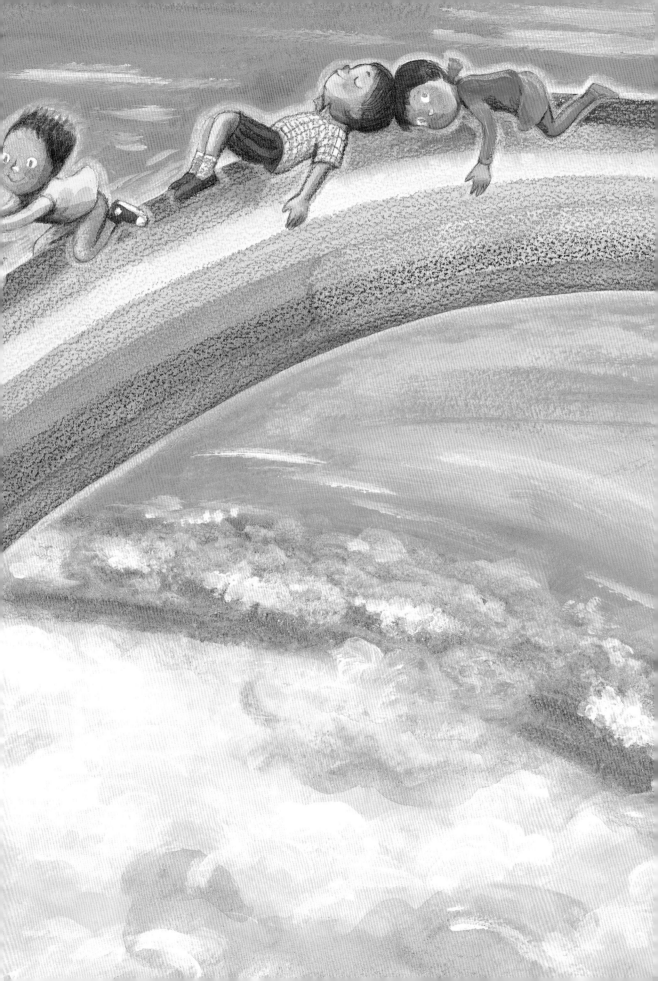

너는 툭하면 "귀찮게 좀 하지 마."라고 말했지.
하지만 우리는 너를 귀찮게 하는 게 제일 좋았어.

너는 툭하면 "조용히 좀 해."라고 말했지.
하지만 우리는 네 옆에서 떠드는 게 제일 좋았어.

이제는 귀찮게 하거나 떠들지 않을게. 그냥 네가 보고 싶어.
정말이야.

너는 눈이 심하게 나빠서 움츠러들곤 했지.
나는 달리기 경주 때 넘어진 일로 괴로워했어.
너는 수학 점수 때문에 울었던 적이 있잖아.
나는 글짓기를 잘 못해서 속상했던 적이 있고.

다 지나갔어. 지나가 버렸어…….
어떤 고민은 하나도 중요하지 않아.
던져, 던져 버려…….
가자, 나아가자…….

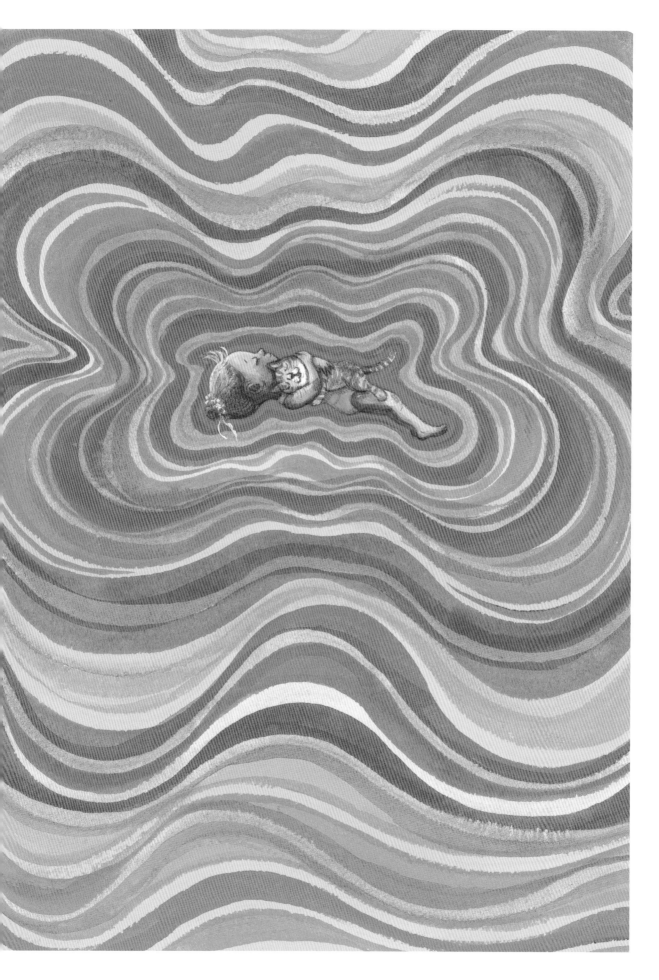

보기 싫은 일에는 눈을 감았어.
말하기 싫으면 입을 다물었고,
듣고 싶지 않을 때는 귀를 막았지.

앞으로 싫은 일이 생기면
고개를 들고 너희에게 물어볼게.
너희도 꼭 나를 도와서 답을 찾아 줘.

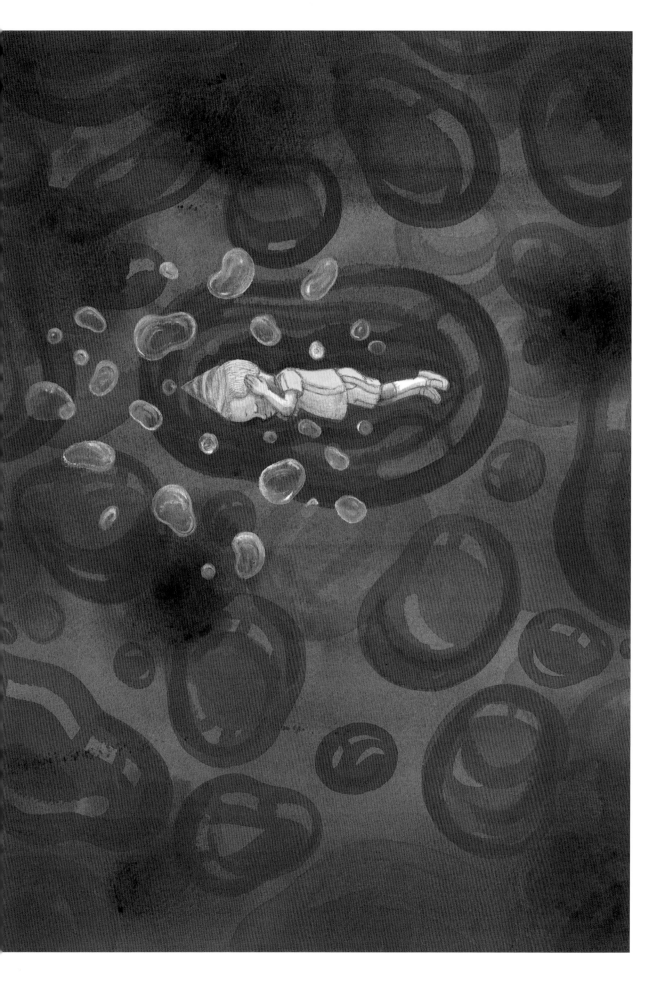

예전에 너를 질투했어.
무엇이든 나보다 잘하니까
네가 정말 미웠어.

네 필통을 훔친 적도 있고
숙제 노트를 숨긴 적도 있어.
다른 아이들과 너를 괴롭히기도 했고.

나를 용서하지 마. 내가 계속 미안해하도록.

더는 집으로 돌아가는 걸 두려워하지 마.
더는 아빠한테 야단맞을 일도 없고
더는 엄마의 울음소리를 듣지 않아도 돼.

용감하게 집으로 돌아가.
아빠의 호통은 사과로 바뀌었고
엄마의 울음소리도 그쳤으니까.

너는 그저 애교를 부리며 끌어안으면 돼…….

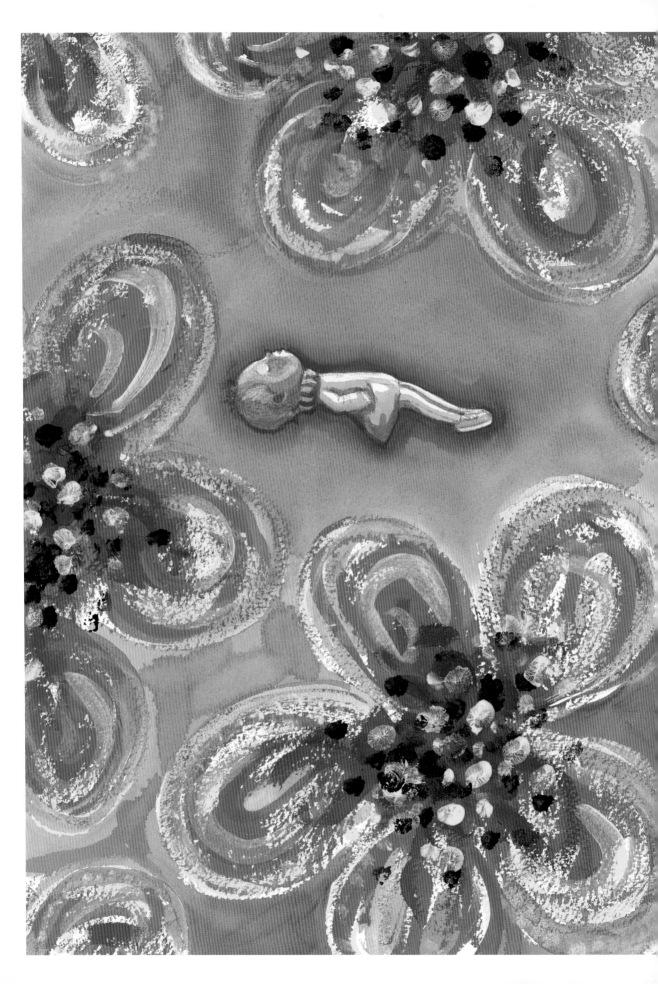

너는 꽃을 좋아하고 보들거리는 예쁜 것들도 좋아했지.
웃는 걸 좋아해서 웃기지 않은 일에도 웃었잖아.
울기도 잘해서 조금만 감동적이어도 울음을 터뜨렸고.

나를 좋아한다고 했지만, 그냥 좋아하는 거라고만 했지.
왜 용감하게 나를 사랑한다고 말하지 않았어?

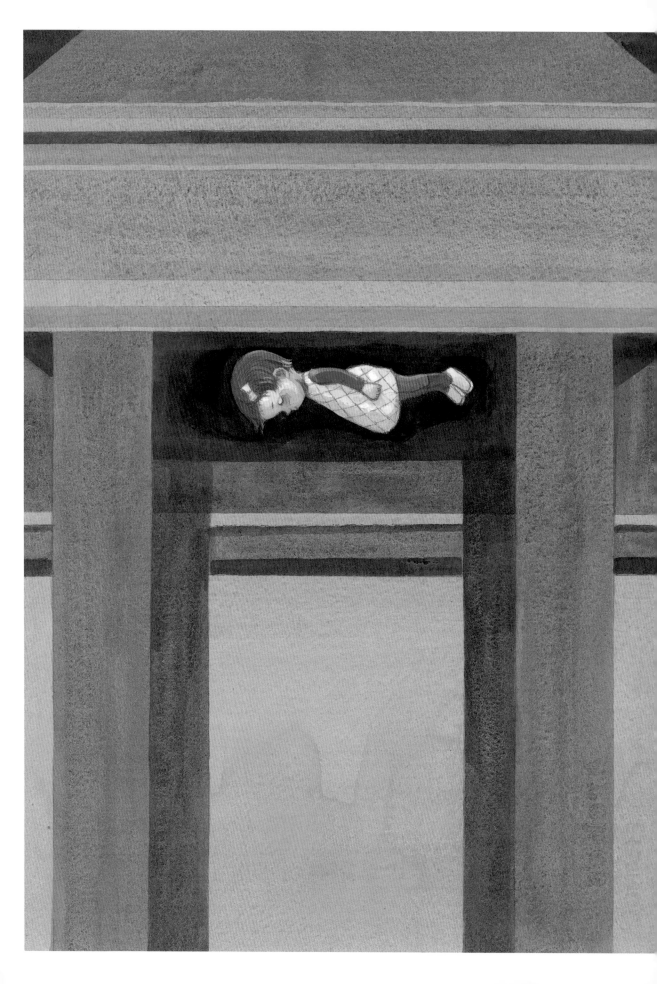

학교 강당에서 졸업식 노래가 들려와.
우리를 위한 시간일 거야.

전등이 깜빡거리니 너희로구나.
나비가 날아왔네. 너희로구나.
낮게 날아가는 흰 구름도 너희겠지.
높이 걸린 무지개도 너희일 거야.

문이 갑자기 열리는 것도 너희 때문이고
문이 갑자기 닫히는 것도 너희 때문이겠지.

너희 모두 졸업식에 올 줄 알았어.

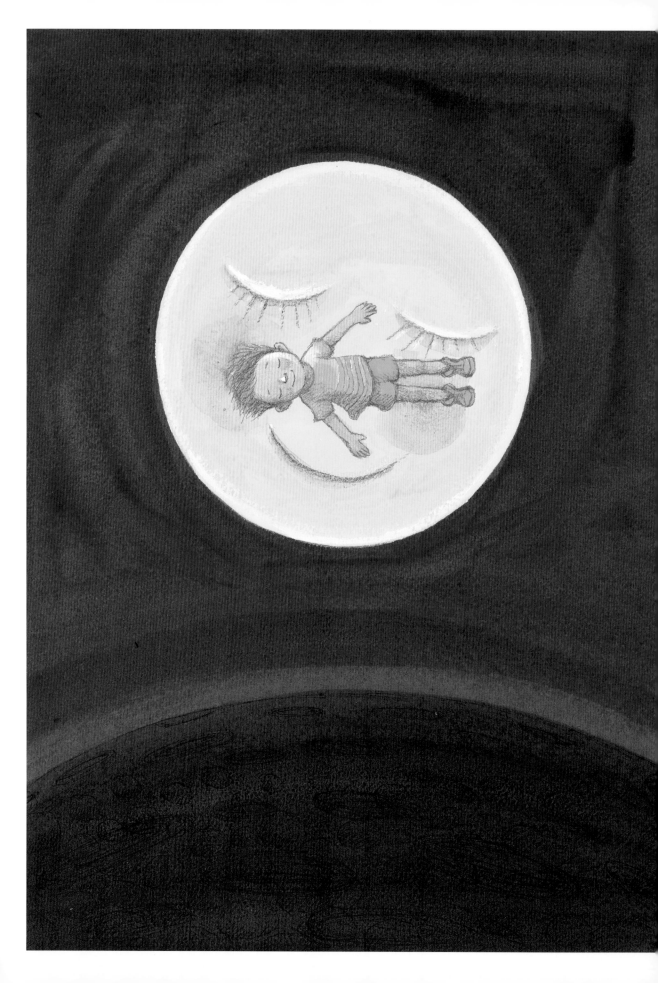

이번 여행이 좋았니?
나와 함께여서 좋았어?

나는 너와 함께한 이 짧은 여행이 좋았어.
고마워.

"고마워." 그 말만 계속 나와.
고마워. 고마워.
고마워…….

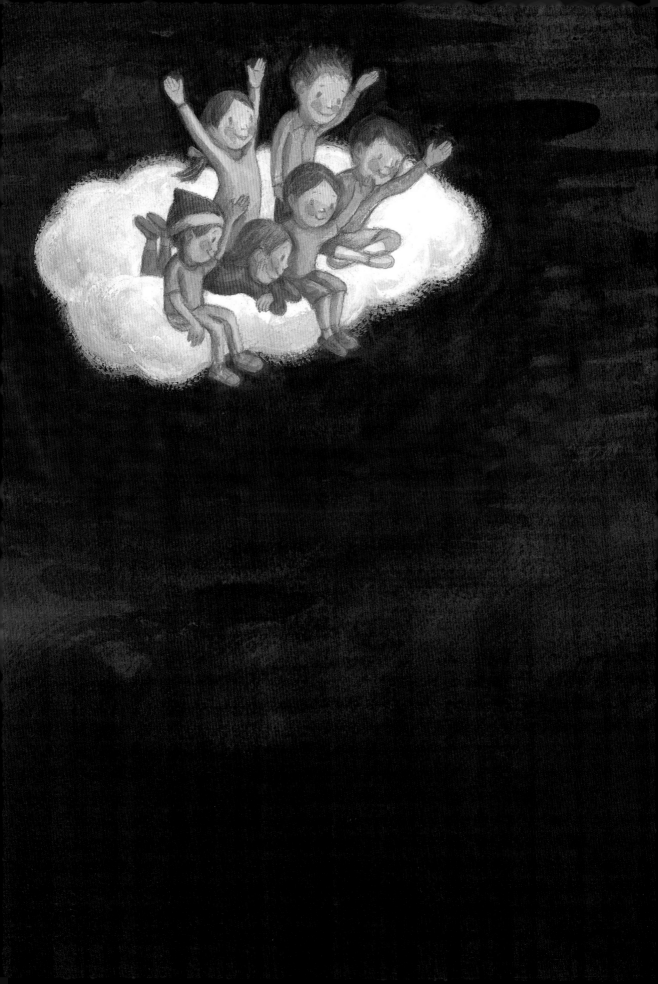

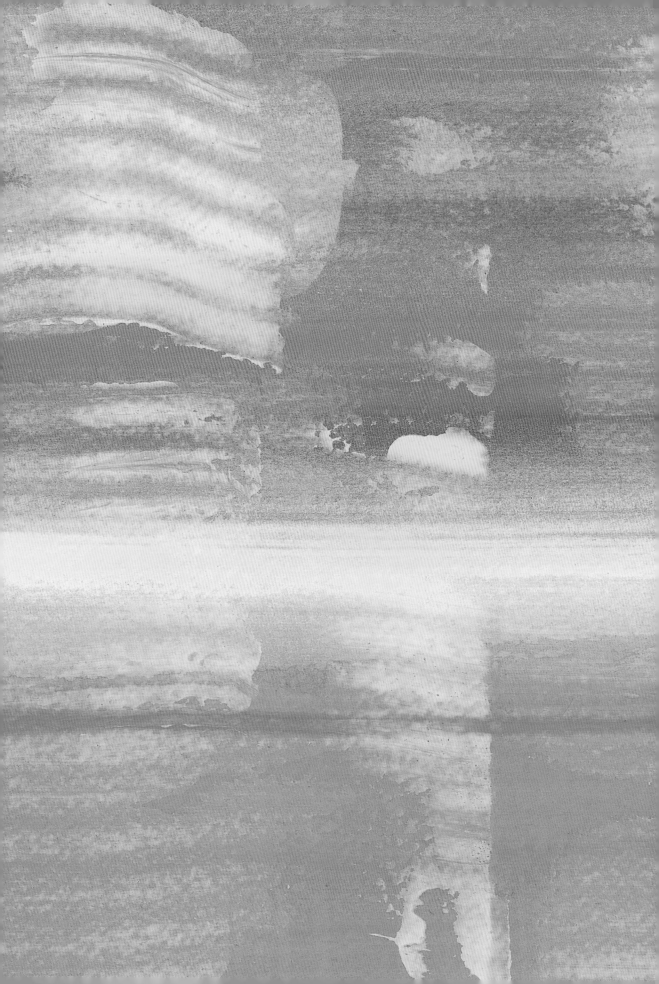

매일매일 언제나 어둡지만,

매일매일 환하기도 해.

매일매일 언제나 실망스럽지만,

매일매일 희망차기도 해.

매일매일 언제나 힘들지만,

매일매일 단조롭기도 하지.

매일매일 언제나 그립지만,

매일매일 고맙기도 해.

매일매일 언제나 평범하지만,

매일매일 신기하기도 하지.

매일매일 그날은 단 한 번뿐이야.

글·그림 **지미 리아오**

1998년부터 그림책을 그리기 시작했다.
어른을 위한 그림책 열풍을 일으키면서 국내외에서 선풍적 인기를 끌어
그의 작품은 이미 미국, 프랑스, 스페인, 이탈리아, 그리스, 한국, 일본, 태국 등에서
번역 출판되었다. 지금까지 40여 종이 넘는 책이 출판되었으며
『별이 빛나는 밤』을 비롯한 상당수 작품이 뮤지컬, 드라마, 영화로 만들어졌다.
『미소 짓는 물고기』를 각색한 애니메이션은 2006년 베를린영화제 심사위원 특별상을 받았고,
『별이 빛나는 밤』을 각색한 영화는 2011년 부산국제영화제 경쟁부문에 진출하면서
2011년 말 가장 기대되는 영화로 꼽혔다.
지미는 2003년 스튜디오보이스지의 '아시아에서 가장 창의적인 인물 55인'에 선정되었고,
2007년에는 디스커버리 채널의 '대만 인물지' 6대 인재로 선정되었다.

옮김 **문현선**

이화여대 중어중문학과와 같은 대학 통역번역대학원 한중과를 졸업했다.
현재 이화여대 통역번역대학원에서 강의하며 프리랜서 번역가로 중국어권 도서를 기획 및 번역하고 있다.
옮긴 책으로 『마술 피리』, 『제7일』, 『아버지의 뒷모습』, 『아Q정전』, 『봄바람을 기다리며』,
『작렬지』, 『문학의 선율, 음악의 서술』, 『평원』, 『사서』, 『인생이라는 이름의 영화관』 등이 있다.